El kiwi Wenceslao

Dibujos
Tría 3:
Horacio Elena
Mabel Piérola
Francesc Rovira

Cuento
Beatriz Doumerc

El kiwi Wenceslao tiene las alas cortas,
las patas fuertes y el pico largo.
Wenceslao no vuela,
siempre camina sobre la hierba.

El kiwi Wenceslao vive muy lejos,
y sus amigos son los canguros,
las ovejas y los conejos.

En la orilla del mar azul,
el kiwi Wenceslao mira a los chicos
que hacen windsurf.

Y por el cielo, el kiwi Wenceslao
ve pasar los aviones de pasajeros.

Cuando llega el verano,
el kiwi Wenceslao se baña en el río
y juega al waterpolo con sus amigos.

Cuando llueve y hace frío,
Wenceslao coge su walkman
y escucha música sin salir del nido.

El kiwi Wenceslao tiene muchos hermanos:
se llaman William, Winston, Wifredo...
Todos se parecen a él,
todos tienen las alas cortas,
las patas fuertes y el pico largo.

Y para que no lo confundan con sus hermanos,
el kiwi Wenceslao abre su largo pico y dice:
—¡Wi, wi, wi! ¡Soy Wenceslao y estoy aquí!

- ¿Cómo es el kiwi Wenceslao?
  Si no te acuerdas, vuelve a leer la primera página del cuento.
- ¿Quiénes son los amigos del kiwi Wenceslao?
- ¿Qué usa el kiwi Wenceslao para oír música?
- ¿Conoces a alguien que tenga un walkman?
- ¿Has oído alguna vez música en un walkman? ¿Cuándo?

Objetivos:

Comprender lo que se lee.
Narrar experiencias de la vida cotidiana.

Pedro dice:

El kiwi es un pájaro.

María dice:

El kiwi es una fruta.

¿Cuál de los dos tiene razón? ¿Por qué?

Objetivos:

Adquirir conocimientos.
Establecer semejanzas y diferencias entre conceptos.

La palabra *gato* puede significar dos cosas distintas.
Un *gato* es un animal, pero también puede ser...
(Si no lo sabes, pídele ayuda a un mayor.)

Objetivos:

Ampliar vocabulario.
Utilizar correctamente el lenguaje.
Saber pedir ayuda.

- ¿Sabes qué es el *waterpolo*?

  La palabra *waterpolo* es inglesa, igual que la palabra *walkman*, que también aparece en el cuento del kiwi Wenceslao.

- ¿Te gustaría aprenderte frases en inglés?

  Por ejemplo:

  I drink water.

  I want water.

  ¿Te sabes alguna más?

Objetivos:

Sensibilizar hacia el conocimiento de otras lenguas.
Discriminar el sonido de la **w.**

Éstas son las olas del mar donde el kiwi Wenceslao ve a los chicos haciendo windsurf. ¿Se parecen a la **w**?

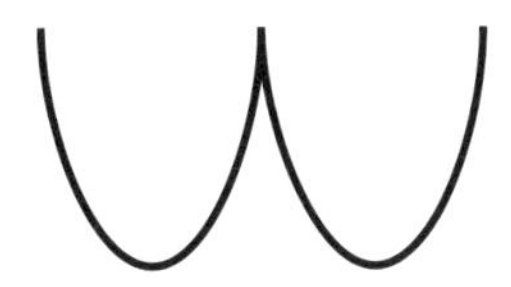

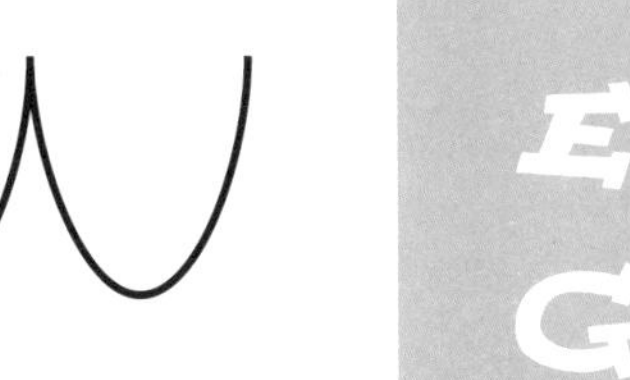

Con pintura de dedos azul sigue el borde de esas olas para colorear el mar que ve el kiwi Wenceslao.

Objetivos:

Identificar la letra **w.**
Ejercitar la coordinación visomanual.

- Para que no lo confundan con sus hermanos, el kiwi Wenceslao dice:

¡Wi, wi, wi! ¡Soy Wenceslao y estoy aquí!

¿Se te ocurre qué puede decir su hermano William para que no lo confundan con sus otros hermanos?

Por ejemplo:

¡Was, was, was! ¡Llega William y tú te vas!

- ¿Y su hermano Winston?

Por ejemplo:

¡Alirón, alirón, alirón! ¡Yo soy Winston el campeón!

- ¿Y su hermano Wifredo?

Objetivos:

Discriminar sonidos.
Combinar sonidos haciendo rimas fáciles.

Colorea las letras **w** minúscula y **W** mayúscula y luego recórtalas.

Así podrás ir formando tu propio ZOO DE LAS LETRAS con los cuentos de esta colección.

Objetivos:

Reconocer las letras **w, W.**
Ejercitar la coordinación visomanual.

colección
El zoo de las letras